Karin Groß

KLEIN ABER FEIN!

SMARTLY SIMPLE!

Online-Material
AUDIO

47 pfiffige Stücke für den Anfang am Klavier

47 little piano pieces for beginners

Illustrationen /Illustrations: Wolfgang Steinmeyer

Die Audiodateien zu dieser Ausgabe stehen hier zu Verfügung:

AUDIO-STREAM

auf den gängigen
Streaming-Plattformen

AUDIO-DOWNLOAD*

https://download.holzschuh-verlag.de
Download-Code: W20S-7NUG

* Hinweis: Die Dateien werden in einem ZIP-Archiv heruntergeladen und müssen vor dem Abspielen entpackt werden.

Impressum

VHR 3416 / ISMN 979-0-2013-0925-5 / ISBN 978-3-86434-055-0

Notensatz: Karin Groß, Dortmund

Aufnahme und Bearbeitung der Audiofiles: Christoph Schulz, MUSICOM, Münster
Einspielung: Karin Groß, Dortmund

Illustrationen: Wolfgang Steinmeyer, Waltenhofen
Umschlaggestaltung: Gerhard Illig Kommunikation, Schwaig
Foto: Peter Leßmann, Münster

www.holzschuh-verlag.de

INHALT CONTENTS

VORWORT

Von Fußballern, Zirkusartisten, verrückten Schweinen, einschläfernden Mathematikstunden und vielem mehr erzählen die 47 Stücke dieses Notenbuchs. **Klein, aber fein!** ist eine fröhliche Sammlung leichter und leichtester Klavierstücke, die kindgerecht und mit viel Abwechslung die Freude am Klavier spielen wecken und Spaß machen.

Mein Bestreben war, trotz der notwendigen Beschränkung der Mittel, den Stücken dennoch klanglichen Charakter zu verleihen, Assoziationen zu wecken und die Kinder emotional anzusprechen.

Die kleinen Kompositionen bewegen sich von Beginn an in wechselnden Tonarten und Handpositionen, um unerwünschten Festlegungen entgegenzuwirken. Dabei fördern Oktavierungen, hier und da kleine Sprünge oder sparsam eingesetzte Fingerübersätze die Flexibilität und Orientierung auf den Tasten.

Das frühe Zusammenspiel der Hände war mir ein Anliegen, die linke Hand bekommt daher von Anfang an leichteste Begleitaufgaben. Wo dabei Töne noch unbekannt sind, helfen Tastenbilder weiter.

Selbstverständliche Melodien und Rhythmen, sich wiederholende Motive sowie die leicht umsetzbare Koordination der Hände ermöglichen ein fließendes Spiel und sorgen damit für Erfolgserlebnisse und Motivation.

Die Sammlung ist bestens geeignet als ergänzendes Spielmaterial zur Klavierschule und kann vom allerersten Anfang an genutzt werden.

Viel Vergnügen wünscht

Karin Groß, Dortmund 2015

PREFACE

The 47 pieces in this music book tell of footballers, circus artists, crazy pigs, tedious maths lessons and lots more besides. **Smartly Simple!** is a cheerful collection of easy and extremely easy piano pieces which with all the variety they offer, will awaken in children the joys of playing the piano and be lots of fun for them.

Despite the inevitable necessity for certain limitations, I was nevertheless anxious to lend the pieces tonal character, to awaken associations and to reach the children emotionally.

Right from the very beginning the little compositions move in changing keys and hand positions to counteract any undesirable rigid patterns setting in. Playing an octave higher or lower, little jumps here and there or passing fingers over the thumb now and again will, thus, encourage flexibility and help the children to get to know their way around the keyboard.

It was and is important to me that both hands play together as soon as possible, which is why the left hand is given extremely easy parts to accompany the right hand from the beginning. Pictures of keys provide help here where any notes are still unknown.

Straightforward melodies and rhythms, motifs repeating themselves and the hands being easy to coordinate will all help the child to produce a flowing rendition, thereby creating a sense of achievement and motivation.

The collection is ideal for supplementing a piano tutor and can be used from the very first day.

I hope you all have lots of fun.

Karin Groß, Dortmund 2015

Dicke Tropfen

Big Raindrops

Karin Groß

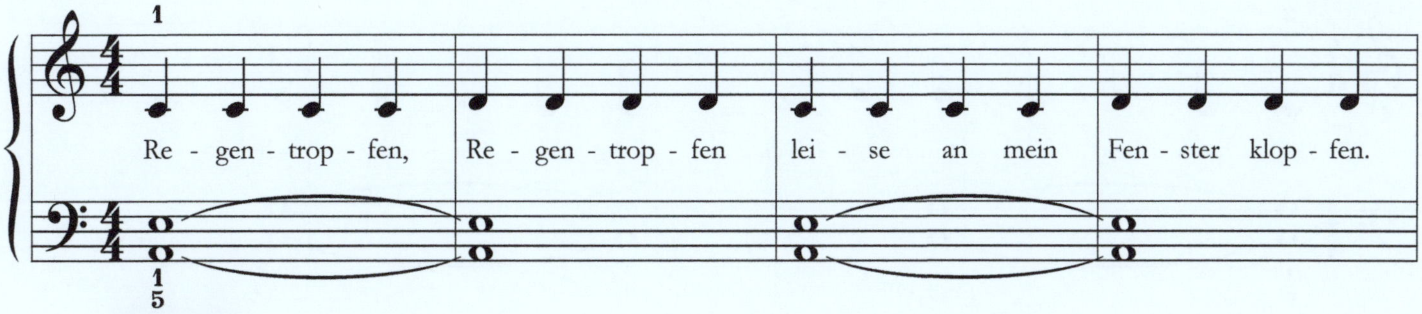

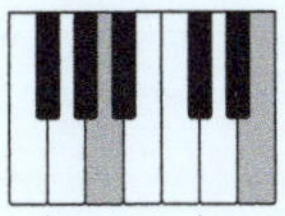

Variante/*Variation:*
Wie klingt es, wenn du mit der linken Hand folgende Tasten spielst?
What does it sound like if you play the following keys with your left hand?

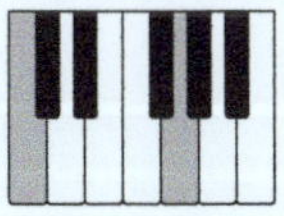

Der Flummi

The Bouncing Ball

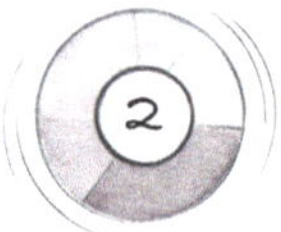

Karin Groß

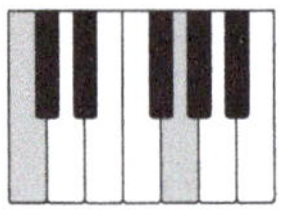

2. Plötzlich werd ich sehr nervös,
wollt doch nichts verderben.
Doch die Mama ist nicht bös:
"Es sind ja nur Scherben."

Hüpfekästchen

Hopscotch

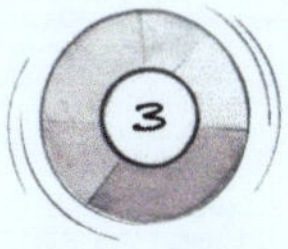

Karin Groß

Ahoi!

Ahoy!

Karin Groß

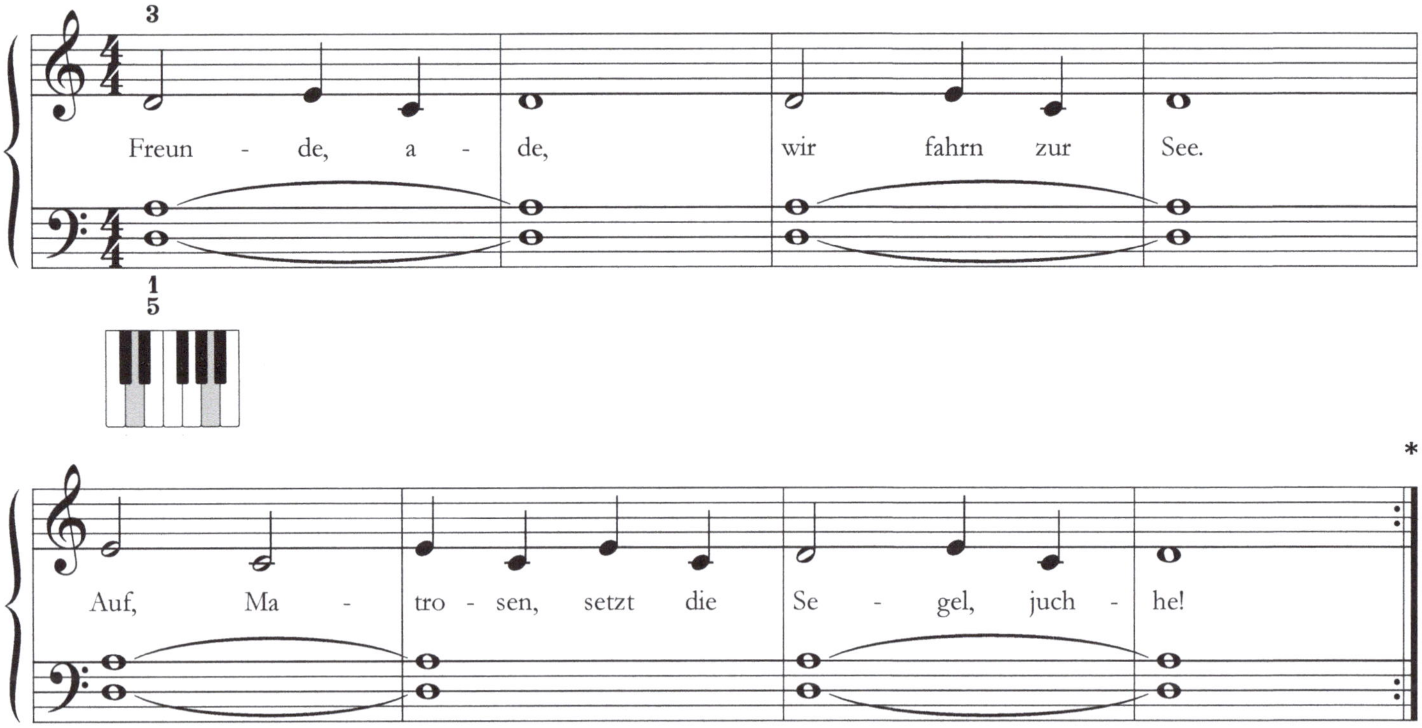

* Spiele die linke Hand bei der Wiederholung eine Oktave tiefer.
Play the left hand one octave lower on the repeat.

Auf Verbrecherjagd

In Hot Pursuit

Karin Groß

Ziemlich schnell
Fairly fast

Hängemattenlied

The Hammock Song

Gemütlich
Leisurely

Karin Groß

Ene-mene-Rattenspeck

Eeny Meeny Rats' Delight

Karin Groß

Tamburintanz

Tambourine Dance

Karin Groß

Feinschmecker

Foodie

Karin Groß

2. Mag auch keinen Kopfsalat, Kopfsalat, Kopfsalat,
denn den find ich ziemlich fad, wirklich ziemlich fad!

3. Bei Gemüse seh ich rot, seh ich rot, seh ich rot!
Das hat bei mir Hausverbot, ehrlich, Hausverbot!

4. Schokolade ess ich gern, ess ich gern, ess ich gern,
alles andre liegt mir fern, liegt mir völlig fern!

Dreh dich, Kreisel

The Spinning Top

Karin Groß

Herbstmelodie

Autumn Melody

Karin Groß

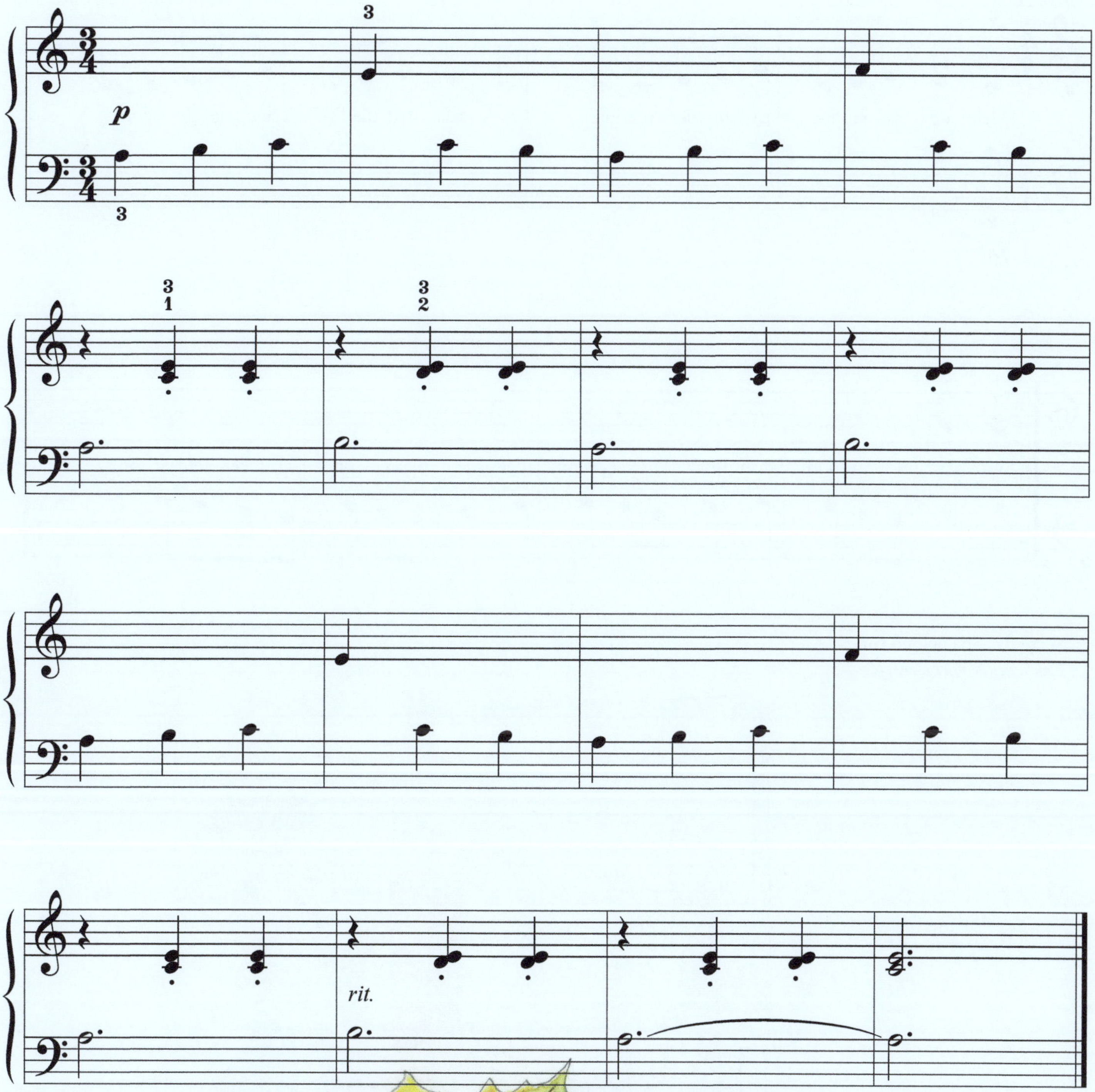

Der Blick in den Spiegel

Looking Into The Mirror

12

Karin Groß

* Setze das Spiegelbild fort.
Continue the mirror image.

Purzelbäume

Somersaults

Übermütig
Boisterously

Karin Groß

Die Spieluhr

The Musical Box

14

Karin Groß

* Dieses Stück hat kein richtiges Ende. Wiederhole es mehrere Male und lasse dabei die Spieluhr immer langsamer und langsamer werden, bis sie irgendwann mittendrin einfach stehen bleibt ...
This piece doesn't have any real end. Repeat it several times letting the musical box get slower and slower until it simply comes to a stop somewhere in the middle …

Der Plappergei

The Prattling Parrot

Karin Groß

Variante/*Variation:*
Spiele das Lied auch einen halben Ton höher.
Play the song a semitone higher as well.

Das Eselchen

The Little Donkey

16

Karin Groß

2. Es spricht nicht viel, das Eselchen: "I-a, i-a",
das ist es schon geweselchen. "I-a, i-a!"

Gänsemarsch

March Of The Geese

17

Karin Groß

Die kleine Nixe

The Little Mermaid

18

Karin Groß

Elegant
Elegantly

Höhlenecho

The Echoing Cave

Karin Groß

Die Stubenhockerin

The Stay-At-Home

Karin Groß

Seine Majestät, der König

His Majesty The King

Karin Groß

* Spiele bei der Wiederholung die rechte Hand eine Oktave tiefer, indem du über die linke greifst.
Play the right hand one octave lower on the repeat by reaching over your left hand.

Jodel-Sepp
Yodelling Along

Karin Groß

Fröhlich
Merrily

Die schwarze Mühle

The Black Windmill

(23)

Karin Groß

Unheimlich
Eerily

Kein Schwein gehabt ...

Perilous Piggy

24

Karin Groß

2. Mann, o Mann! Ob das wohl gut gehn kann?
   Es fährt rasant die Straße lang. Mann, o Mann!

3. 'Rum und um, die Leute schauen dumm.
   Das Schwein fährt wild im Kreis herum, dann machts "bumm"!

4. Wei, o wei! Es kommt die Polizei.
   Das Auto ist total entzwei! Wei, o wei!

5. Präg dir ein: Du brauchst den Führerschein!
   Wenn du nicht Auto fahren kannst, lass es sein!

Grashüpfer-Walzer

Grasshopper Waltz

25

Karin Groß

Eine kleine Eisenbahn

A Little Railway

Karin Groß

DORTMUND
CAFE

f
rit.
p

Seegras

Seagrass

Karin Groß

Tanz des Medizinmanns

Dance Of The Medicine Man

28

Stampfend
Stompingly

Karin Groß

Teekesselchen

Teapot On A Diet

Karin Groß

2. Drauf sagt der andre Vielfraß, der selten mal zu viel fraß:
"Ich mache Sport, Herr Namensvetter, das ist nämlich sehr viel netter!
Noch was fällt mir ein: Lass die Pommes sein!"

Ätschibätschi

Gotcha

Karin Groß

Wo Fuchs und Hase sich Gute Nacht sagen

Good Night, Sleep Tight

31

Friedlich
Peacefully

Karin Groß

Ananas-Flip

Pineapple Flip

32

Mit Temperament
Spiritedly

Karin Groß

Fata Morgana

Fata Morgana

Karin Groß

Schleppend
Slowly

Fantribüne

Football Fans

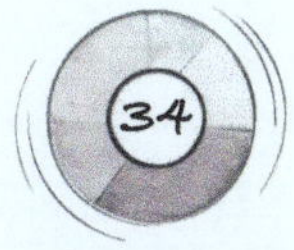

Ungeduldig
Impatiently

Karin Groß

Die hölzerne Marionette

The Wooden Marionette

Karin Groß

Rabauken

Rowdies

Karin Groß

Ritterspiele

Knights' Games

37

Karin Groß

Variante/*Variation:*
Spiele das Stück z. B. einen Ganzton tiefer oder höher. Welche schwarzen Tasten benötigst du, damit es so klingt wie vorher?
Play the piece a whole tone lower or higher, for example. Which black keys do you need to make it sound like before?

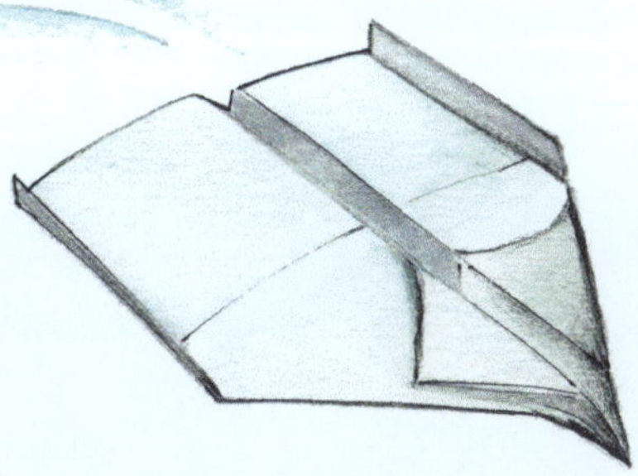

Segelflieger

Glider

38

Karin Groß

Schule ist aus

School's Over

Karin Groß

Gut gelaunt
In a good mood

Feenzauber

Fairy Magic

40

Karin Groß

Geheimnisvoll
Mysteriously

* Streiche mit der rechten Hand von unten nach oben über die schwarzen Tasten.
Stroke over the black keys from the bottom to the top with your right hand.

Bunter Schmetterling

Colourful Butterfly

41

Federleicht
As lightly as a feather

Karin Groß

Hochseilartisten

Tightrope Artists

Mit höchster Konzentration
With the greatest concentration

Karin Groß

Zirkuswalzer

Circus Waltz

Karin Groß

Mathestunde

Maths Lesson

Gelangweilt
In a bored manner

Karin Groß

Coole Jungs

Cool Kids

Mutig
Boldly

Karin Groß

Winterstürme

Winter Storms

Karin Groß

Schnell
Quickly

* Lass den Sturm heulen, indem du mal lauter und mal leiser spielst, ganz nach deinem Gefühl.
Let the storm howl by playing louder and then more quietly just as you see fit.

Nachtpatrouille

Night Patrol

Karin Groß